Chapitre 3

Demandes légitimes?

Je me suis couchée sans manger. Troublée par l'annonce de mes parents, j'ai seulement pu me traîner jusqu'à ma caverne, au sous-sol. Pas ma chambre. Ma caverne. Je peux m'y enfermer et mes parents oublient alors que j'existe. Tout ce qui se passe en-dessous du premier étage est comme exempté des règles de la maison.

Dans ma caverne, je peux grignoter, boire, écouter des vidéos sur Internet, monopoliser le téléphone durant des heures, me maquiller (même si ma mère me l'interdit). Mais la quiétude de ma caverne risquait maintenant d'être troublée. Elle ne serait plus jamais la même. Le bordel ambiant et les taches sur le tapis font de ma chambre un lieu vraiment *cool*. Si je dois commencer à ranger, tout sera chamboulé. Un peu comme les cheveux de Samson. Mon père, grand passionné de mythologie, m'a souvent parlé de ce personnage dont l'incroyable force résidait dans sa longue chevelure. Le jour où on lui a coupé le toupet (et le reste!)… plus rien. Disparue, la force légendaire. Il a fini par en mourir.

Je n'ai pas réussi à fermer l'œil une bonne partie de la nuit. Dans ma tête se bousculaient les mots prononcés par mes parents : débarrasser, plier, ranger, balayer, accrocher, nettoyer…des verbes que, même à l'école, je n'avais pas encore appris à conjuguer !

À 3 heures 10 du matin, mon grand frère est venu me retrouver. Il voulait discuter.

— Tu ne penses pas que les parents ont peut-être raison? m'a-t-il demandé.

— Euh… avant de prendre une décision, je crois qu'on devrait vérifier le bien-fondé de leurs demandes. Et savoir si c'est la même chose dans toutes les familles. Tu ne voudrais quand même pas qu'on soit les seuls enfants à aider leurs parents?

— Bon point. Ça serait dommage d'en faire trop. Demain, on fait le tour de nos amis et on demande leur avis?

— Okay. En attendant, on fait quoi pour les tâches?

— J'ai pensé qu'on pourrait en faire juste assez pour qu'ils ne nous cassent pas les pieds avec ça... le temps de trouver des réponses à nos questions.

— Qu'est-ce que tu dirais d'un déjeuner au lit et ensuite, on s'éclipse?

— Génial. Bonne nuit, la sœur, m'a-t-il dit en enjambant tous les vêtements que ma mère a encore oublié de ramasser sur le plancher.

Chapitre 4

Un petit-déjeuner
de Grec

Le lendemain matin, 6 heures, nous avons commencé à préparer un superbe petit-déjeuner. Il fallait s'y prendre d'avance car, vraiment, c'était une grande première pour nous.

Trente minutes plus tard, nous sommes entrés dans la chambre de nos parents avec un plateau garni d'une salade de fruits, de crêpes maison, de yogourt et de céréales. J'avais même pris la peine d'aller arracher la seule tulipe de la plate-bande de la voisine, pour agrémenter le tout. Évidemment, nous avons amené les

plus jeunes pour réveiller «en douceur» nos parents.

Je dis en douceur, car mes deux petits frères ont eu la bonne idée de dérouler quelques rouleaux de papier de toilette pour en faire des guirlandes, qu'ils ont lancées sur mes parents. «C'est pour faire comme la publicité du nouveau papier super ultra méga doux extra moelleux plus plus avec les chatons blancs... La madame, elle se frotte le papier sur les joues en souriant. Maman sera contente», a crié l'un d'eux avec entrain.

Ça c'est une autre chose que je n'ai pas encore dite. Mes frères et ma sœur n'ont qu'un volume sonore : ÉLEVÉ. Ça réveille mal, un dimanche matin. Du moins, c'est ce que j'ai supposé, en voyant ma mère se couvrir la tête avec son oreiller et mon père tirer les couvertures par-dessus lui pour se cacher, renversant du même coup le beau plateau préparé avec amour. Oups !

Nous les avons laissés tranquilles. Avec les petits, qui sautaient sur le lit en criant à pleins poumons :

— On a faim ! On a faim !

— Prenez votre temps. Pour le dégât, vous pourrez le ramasser en même temps que le désordre de la cuisine, leur ai-je suggéré… Nous n'avons pas eu le temps de ranger, sinon, vous auriez mangé froid. Bon, on doit partir. On va au parc. À plus !

Nous nous sommes éclipsés, mon grand frère et moi, avant qu'ils ne puissent réagir. En passant le seuil de la porte, j'ai cru entendre mon père dire qu'on leur avait fait un cadeau de Grec. Ça aussi, c'est une autre chose dont il m'a déjà parlé. Ça veut dire un cadeau qui cache en réalité une mauvaise surprise, une malédiction. Rien de positif, quoi !

Chapitre 5

Vox populi

J'ai souvent vu ça à la télé. Le journaliste aborde des gens dans la rue pour leur poser une question. On peut ensuite entendre toutes les réponses en rafale. On appelle ça un vox pop. Ça vient de l'expression latine *vox populi, vox Dei*, qui veut dire : la voix du peuple est la voix de Dieu. Voyons donc ce que les enfants du quartier ont à dire à propos des tâches ménagères. Ensuite seulement, nous aurons ce qu'il faut pour confronter nos parents et, si Dieu le veut, se défiler d'éventuels menus travaux ou responsabilités en tous genres qui risquent fort d'affecter notre bien-être d'enfant.

Alexandre, Gabriel et Étienne, les trois petits voisins, étaient déjà au parc. Ils en avaient long à dire sur le sujet.

— Nous, on fait notre lit. Tous les matins!

— Et on apporte nos vêtements sales dans la salle de lavage.

— On dessert la table et on lave la vaisselle à tour de rôle.

— Vous êtes payés, pour ça? ai-je demandé.

— Non, on fait ça gratuitement!

— Pourquoi? a questionné mon frère.

— Parce qu'on veut faire plaisir à nos parents!

— Et il vous reste du temps pour jouer après tout ça?

— C'est pas long. On le fait et on n'y pense même plus! C'est une habitude...

Je les ai regardés comme s'ils venaient de me dire qu'ils avaient cambriolé une banque. Je pense qu'ils ne sont pas le meilleur exemple. J'ai entendu dire que leur père est caporal dans l'armée. Ils doivent le faire juste pour ne pas avoir à faire des tonnes de redressements assis ou laver les toilettes avec une brosse à dents!

Antoine Normandin était sur le terrain de basketball en train pratiquer ses lancers. Je lui ai demandé s'il devait travailler chez lui ou bien s'il était libre de vivre sa vie d'enfant.

— Euh... Tu sais, la plupart des enfants aident leurs parents. Ce n'est pas extraordinaire. Ils font tellement de choses pour nous, les adultes, qu'il n'y a pas de raison de ne pas en faire un peu à notre tour, non?

Mon frère m'a fait signe de le suivre un peu à l'écart.

— Je pense que ces quatre-là ne vivent pas dans une famille normale...On devrait dénoncer leurs parents...

Médéric n'a pas dû être assez discret, car Alexandre s'est approché et s'est penché au-dessus de nous.

— Juste comme ça, je vous le dis: un balai n'a jamais tué personne! Pas vrai, Gab?

— L'essayer, c'est l'adopter, comme le dit le gros monsieur dans la publicité de chiffon magique qui pourrait absorber tous les dégâts, même le débordement d'une rivière.

— Permettez-nous de douter encore un peu... ai-je précisé.

— Allons sur Internet. Je suis certain qu'on trouvera des informations fiables sur le sujet: un forum de discussion pour enfants malheureux à aider, un blog de parents tyrans qui font tout faire à leurs enfants ou un numéro pour une ligne téléphonique d'aide! a proposé mon frère.

— Comme vous voulez, a dit Alexandre, en nous lançant un regard perplexe. On s'en reparle une prochaine fois. À plus!

En quittant les frères Pépin, nous commencions à avoir des doutes, tout en essayant de nier ce qui semblait finalement évident. En chemin, nous en avons croisé une bonne dizaine d'enfants, tous occupés à différentes tâches, le sourire aux lèvres. Un passait la tondeuse, d'autres jardinaient ou aidaient à entretenir la piscine. Tout ça en sifflant ou en chantant, parfois! Nous sommes même arrivés nez à nez avec Coralie et Delphine, les jumelles du bout de la rue. Elles marchaient tout bonnement avec un sac d'épicerie.

— Vous faites quoi, là?

— On est allées acheter du lait parce qu'on l'a fini au déjeuner… sinon, nos parents n'en auront plus pour leur café!

Mon frère leur a tourné le dos pour, encore une fois, me parler subtilement.

— Tu as fait quoi, avec le carton de lait vide ce matin?

— Je l'ai remis dans le réfrigérateur, pourquoi?

— Pour rien.

— Hein? Et les autres qui voudront du lait, ils feront quoi? a demandé Delphine.

— Ils attendront que ma mère aille en acheter. C'est tout! que je lui ai répondu.

— ...

Nous sommes partis, laissant les jumelles qui nous fixaient comme si nous étions deux fous évadés d'un asile psychiatrique.

Chapitre 6

Des taches
et des tâches

Une fois chez nous, nous nous sommes emparés de l'ordinateur portable afin de valider les résultats que notre vox pop avait révélés. Mon frère a ouvert un moteur de recherche et y a inscrit les mots «enfants et tâches». Tout de suite sont apparus des milliers de liens en tous genres.

— «Mon enfant est une tache»... non, pas ça. «Mon enfant se tache tout le temps»... non, pas ça non plus. Voyons, il doit bien y avoir quelque chose sur le sujet!

— Ligne d'aide pour parents désespérés... non, pas ça. Tiens, une autre, pour les enfants : 1-800-Enfants Contents. S'ils sont contents, c'est bon signe !

— Tu appelles ou je le fais ?

— Vas-y ! Moi, je continue à chercher pendant ce temps-là.

Sans perdre de temps, je compose le numéro. Une voix enfantine répond à la première sonnerie.

— 1-800-Enfants Contents, bonjour, Camille à l'appareil ! Comment puis-je faire pour t'offrir un excellent service aujourd'hui ?

— Euh... Je m'appelle Lauralie. J'appelle parce que j'aimerais avoir un avis de professionnel sur une question épineuse.

— Tu veux savoir si ce que tu ressens, c'est bien le bonheur ? Ou encore, comment faire pour rester un enfant heureux et épanoui ? Comment propager la joie tout autour de toi ?

— Euh... non. Je veux juste savoir si c'est normal que mes parents m'assignent certaines tâches à la maison.

— Ah bon ! Tu n'es pas au bon département. Ici, c'est pour les enfants comblés. Je te communique au service des enfants insatisfaits.

J'ai entendu un clic, puis une musique. C'était une petite chanson digne

d'une émission pour enfants, qui allait comme suit :

« Enfants contents, parents contents. Enfants paresseux, parents furieux. Ce n'est pas agréable, d'être misérable. Éternel insatisfait, sois gentil et écoute, s'il te plaît. C'est la vie, de participer aux activités de la maison aussi. Le balai, ce n'est pas seulement fait pour les parents, tu sais ! Ne sois donc pas lâche et accepte tes tâches... lalalalalalalalalala,tatatata tatatata, ouhhhhhhhhhhhhh ! »

Soudain, la même voix entendue quelques secondes plus tôt :

— Service des enfants insatisfaits, bonjour ! Qu'est-ce qu'il y a, donc ?

— Encore toi ? Je croyais que tu travaillais au département des enfants comblés, toi. Pourquoi m'as-tu transférée ?

— Mes patrons veulent que tous les enfants pas contents écoutent la petite chanson... Je vois qu'elle n'a pas répondu à tes questions.

— Non, en effet. Alors, je fais quoi avec mes parents qui demandent qu'on les aide à la maison ?

— Ben... c'est évident.

— Pas vraiment.

— Tu veux que je te fasse écouter encore la chanson ?

— Non, pas nécessaire.

— Donc, voilà. Il faut que tu acceptes tes responsabilités. À moins qu'ils te demandent de payer les factures, de faire l'épicerie ou de rénover la maison, tu peux les aider. C'est facile. Et s'ils ont signé la convention des parents raisonnables, ils n'exagéreront pas. Tu veux que je vérifie? Quel est leur nom?

— Annick Hardy et Francis Blanchet.

— Attends… Je vérifie… Voilà! Oui: c'est signé. Ils ne s'attendent pas à grand-chose de vous. Juste la base. Rien de compliqué, tu verras.

— La base? On fait comment pour savoir en quoi ça consiste?

— Tu as une adresse courriel? Je peux t'envoyer le document. Il est intitulé: *L'art du gros bon sens pour les enfants*.

— …

— Tu es encore là, Lauralie?

— Tu m'excuseras, je pensais que tu faisais une blague. Comment tu sais mon nom?

— Dans le fichier de tes parents… tsé! Et il y a ton courriel, tiens. Je t'envoie ça tout de suite.

— Merci.

— Est-ce que je peux faire autre chose pour toi? On a le service des plaintes pour

37

les enfants qui demandent des choses, mais qui ne peuvent les avoir.

— Non, pour le moment, c'est bon. Mais j'y songerai, au besoin.

J'ai raccroché et je me suis tournée vers mon frère, toujours concentré dans ses recherches.

— Les nouvelles ne sont pas bonnes. Je pense qu'on va devoir changer… Ah oui! C'est vrai : je dois prendre mes courriels.

— Pour?

— On va recevoir un guide qui nous dira ce qu'on doit faire exactement.

Chapitre 7

Vous avez un nouveau message

Je n'ai pas perdu de temps à chercher le fameux message. C'était le seul. Le guide en question était très coloré et facile à consulter. Il présentait une liste complète des tâches qu'un enfant peut accomplir. La plupart étaient très simples. Quelques-unes plus complexes. Au tout début, un avertissement disait ceci:

Avertissement:
Les informations contenues dans ce guide ne sont présentées qu'à titre indicatif. Peut-être que vous ne vous sentez pas concerné. À tort ou à raison. Afin de

vérifier l'étendue des dégâts ou de constater que tout va bien, il est préférable de faire le test ci-dessous.

Responsabilités à la maison : êtes-vous du type paresseux, indifférent (ou les deux) ou parfait ?

1- Quand vous mangez un bonbon, que faites-vous avec le papier ?

a. Je le mange aussi, afin de ne pas avoir à me lever pour aller le jeter dans la poubelle.
b. Je vais tout de suite le jeter dans la poubelle.
c. Je le cache au premier endroit que je trouve.
d. Je le laisse tomber par terre.
e. Quel papier ?

2- Quand vous finissez de vous brosser les dents, que faites-vous ?

a. Je ne me brosse jamais les dents. Elles sont parfaites ainsi.
b. Je vérifie si j'ai laissé du dentifrice dans le lavabo et je le nettoie.
c. Je me sauve en laissant ma brosse à dents traîner et la porte de l'armoire ouverte.
d. Je bloque la porte pour que mon frère/ma sœur ne puisse pas entrer.

e. Je réponds AHHHH! à ma mère qui me dit que ça fait 30 minutes que je me brosse les dents. Ensuite, je cours à ma chambre et je claque la porte.

3- Quand vous revenez de l'école, que faites-vous de votre manteau/sac d'école/boîte à lunch?
   a. Je réalise que je les ai oubliés à l'école.
   b. J'accroche mon manteau, je vide ma boîte à lunch et je range mon sac d'école dans ma chambre.
   c. Je les laisse en plein milieu de l'entrée et vais monopoliser la télé.
   d. Je les laisse bien en évidence afin que ma mère puisse tout ranger en rentrant de travailler.
   e. Pouvez-vous répéter la question?

4- Selon vous, deux souliers doivent être placés...
   a. Le plus loin possible l'un de l'autre.
   b. Un à côté de l'autre, dans l'entrée de la maison ou à l'endroit prévu à cet effet.
   c. À un endroit bizarre, comme la niche du chien, le micro-ondes ou le carré de sable.
   d. N'importe où, du moment que ma mère peut les retrouver.

e. Dans mes pieds. Je ne les enlève jamais, c'est trop compliqué. Ben quoi, je suis fatigué-e!

5- Si vous mangez le dernier biscuit de la boîte, vous...
   a. Demandez à vos parents d'aller acheter une autre boîte plus grosse.
   b. Mettez la boîte au recyclage et prévenez que vous l'avez terminée.
   c. Laissez la boîte à sa place.
   d. Je ne finis jamais les boîtes pour ne pas avoir à les jeter.
   e. Ils sont à quoi, les biscuits?

6- Quand vous vous déshabillez, que faites-vous de vos vêtements?
   a. Je les laisse là.
   b. Je vais les porter dans le panier à linge sale/dans la laveuse.
   c. Je les laisse dans la chambre de mes parents: ils n'auront qu'à se pencher pour les ramasser.
   d. Je déteste changer de vêtements. C'est difficile... et très fatigant.
   e. Je les lance sur mes petits frères et ma sœur pour les faire rigoler. Bien plus drôle que de les mettre dans le panier!

7- On peut comparer votre chambre à...

a Un champ de bataille.

b. La 8ᵉ merveille du monde.

c. Une ville après le passage d'un typhon.

d. Une zone sinistrée.

e. Ma chambre? Je ne l'ai pas bien vue depuis longtemps. Trop de choses un peu partout.

Après avoir lu quelques lignes, mon frère s'est exclamé :

— Franchement, c'est évident. Faut être stupide pour ne pas connaître ces choses-là.

— Est-ce qu'on fait tout ça? lui ai-je demandé, du tac au tac.

— Euh… Ben… Non. Mais on ne peut pas changer comme ça, du jour au lendemain, non?

Mon frère prend le contrôle de la souris et fait un bond de plusieurs pages dans le guide électronique.

— Vous vous demandez si vous pouvez changer du jour au lendemain? La réponse est non! Pensez à vos parents! Ils risquent de subir tout un choc. Allez-y tranquillement. Sinon, vous pouvez également préparer le terrain en suivant les quelques conseils qui suivent.

— Mais ils ont pensé à tout! Continue…

— Dans les heures qui précéderont le changement, comportez-vous de façon irréprochable. Pas de mauvais coups ni de chicanes. Pas un mot plus fort que l'autre. Rien. Niet. Nada. Vos parents seront enchantés et accueilleront vos nouvelles habitudes avec facilité.

— C'est tout?

— Non, attends… il y a une étoile qui renvoie au bas de la page, mais c'est écrit vraiment petit.

« Vous pouvez aussi essayer d'inverser les rôles avec vos parents pendant quelques jours. Cela vous permettra, d'un côté comme de l'autre, de mieux comprendre ce que vous vivez. Pour ce faire, il suffit de vous procurer le mode d'emploi d'inversion de rôles parents-enfants, moyennant trois paiements faciles de 5,99 $ auprès du conseiller de votre région. Pour prendre rendez-vous, composez le 1-800 Enfants Contents et dites le mot secret: cornichon. »

— Tu crois que ça pourrait marcher? ai-je demandé à Médéric.

— Ça peut valoir la peine d'essayer, non? Imagine, si on devient les parents de nos parents! À nous, le pouvoir!

— Je rappelle! dis-je en composant déjà le numéro.

«Bonjour, vous avez bien joint la ligne 1-800-Enfants Contents. Nous ne pouvons prendre votre appel pour le moment. Veuillez garder la ligne pour conserver votre priorité d'appel. Votre appel est important pour nous...»

Au bout de quinze minutes, on répond enfin.

— Bonjour! Je m'appelle Camille. Merci d'avoir patienté. Comment puis-je vous aider?

— Tiens, encore toi? J'appelle pour acheter le guide d'inversion de rôles parents-enfants...

— Je suis désolée, je ne vois pas de quoi tu parles.

— Ben là... on nous a dit d'appeler ce numéro!

— Malheureusement, je ne peux rien faire pour vous.

— Tu es certaine?

— Oui.

— Vraiment?

— Tout à fait.

— ...

C'est à ce moment que je me suis fâchée, convaincue d'avoir fait exactement ce qu'on nous avait dit dans le manuel du gros bon sens.

— Nous prends-tu pour des corni-
chons ou quoi?

— Ah! il fallait le dire plus tôt! Ne
quittez pas, je vous communique.

Le mot secret. Je l'avais oublié celui-
là. Ah non, un système de traitement de
la voix...

«Pour acheter un guide, faites le un.
Pour deux guides, faites le 2. Pour trois
guides, faites le 3. Et ainsi de suite... vous
voyez le topo, hein? Pour plus de vingt
guides, afin d'en fournir à toute votre
classe... n'en achetez qu'un et prêtez-le-
vous! Avec ce que vous avez épargné,
achetez-vous des bonbons.»

J'appuie sur le un. On me répond tout
de suite. C'est encore Camille.

— Allô! Alors, tu veux un guide?

— Oui, c'est ça.

— Présente-toi avec ton frère devant
la boutique d'aliments naturels de la rue
Parent, demain, à 10 heures. Venez seuls.
Et apportez l'argent. Je porterai un foulard jaune...

Camille a raccroché. Elle est sûrement
très occupée, car je constate qu'elle est
la seule pour répondre aux questions de
plusieurs services chez 1-800-Enfants
Contents.

— Et puis? me demande Médéric.

— On a rendez-vous demain… on y est presque !

— D'ici là, on fait quoi ?

— Rien, ça te va ? Papa dit toujours « dans le doute, abstiens-toi ! » dit un proverbe.

— Parfait. Rien, ça me va !

Chapitre 8

Foulard jaune et pissenlits

Le lendemain matin, il nous fallait trouver une bonne raison de sortir si tôt pour aller au magasin d'aliments naturels. Qu'est-ce que deux enfants de notre âge peuvent-ils bien faire dans une boutique de ce genre?

— Je sais! Mon prof nous a déjà dit que la tisane de queues de pissenlits est excellente pour la relaxation. On pourrait dire à papa que nous voulons en acheter pour faire une surprise à maman. Il sera content que nous prenions une belle initiative, non?

— Bonne idée! Allons-y, ai-je répondu avec conviction.

Évidemment, mon père a marché à cent milles à l'heure. Quand on lui a fait les yeux doux, il a craqué et a même proposé de payer lui-même!

À 10 heures tapantes, nous étions arrivés, à l'affût d'un foulard jaune. Rapidement, j'ai repéré un foulard jaune. Il était toutefois autour du cou d'un affreux chihuahua que sa propriétaire trimballait dans un sac à main… à chien. Puis, Médéric m'a pointé du doigt une jeune fille vêtue sobrement, dissimulant ses cheveux sous un foulard jaune canari. Nous nous sommes approchés d'elle et elle a tout de suite su qui nous étions.

— Lauralie, Médéric? Venez avec moi. Discrètement. Assurez-vous que personne ne nous suit… nous prévient Camille.

Elle s'est dirigée vers l'arrière-boutique. Nous l'avons accompagnée sans rien dire, intrigués par toute cette mise en scène digne d'un film de série B.

Médéric lui a remis l'enveloppe contenant l'argent. Elle nous a donné le livre en s'assurant que l'échange était fait dans la plus grande discrétion.

— Faites-en bon usage. Et maintenant, quittez le magasin. Mais passez à la caisse avant. Vous avez bien dû dire à

vos parents que vous veniez acheter une tisane bizarre qui est censée avoir des effets exceptionnels, non? Ne l'oubliez pas, sinon, vous serez démasqués.

— C'est bien vrai. Merci de nous le rappeler…

— Pas de quoi. Les tisanes au goût atroce se trouvent dans l'allée 3.

— Merci, Camille.

— Attendez avant de me remercier… a-t-elle répondu mystérieusement, avec un petit sourire malicieux.

Pressés d'aller consulter le guide, nous avons payé la boîte de tisane de pissenlits. Selon la caissière qui nous a vus sursauter en nous disant le prix, plus c'est mauvais au goût, plus c'est bon pour la santé et plus c'est cher.

— Des pissenlits, on en a plein la cour! a dit Médéric. Papa dit toujours qu'il ne comprend pas pourquoi il en pousse autant chaque année. Ça ne doit pas être sorcier de fabriquer de la tisane!

— Je vous arrête tout de suite. Ne fait pas de la tisane qui veut. Et puis, vous n'avez pas les bons pissenlits. Ceux-ci ont été cueillis sur le mont Himalaya. Ou le Kilimandjaro. Ou le Mont-Saint-Hilaire. Je ne sais plus trop. Mais pas dans votre cour, en tout cas.

— C'est noté. Merci, madame, dis-je en entraînant mon frère vers la sortie.

Chapitre 9

Le monde à l'envers

En marchant, nous discutons des possibilités qui s'offrent à nous. Combien d'enfants rêvent de pouvoir prendre la place de leurs parents afin de pouvoir leur faire subir le même traitement qui leur est réservé chaque jour? Nous n'arrivons toutefois pas à décider si nous mettrons nos petits frères et ma sœur dans le coup.

— Je pense qu'il faut y mettre le paquet. À cinq, on sera encore plus forts, non? que je propose.

— Tu as sûrement raison. On leur dira quoi faire, si jamais ils ne comprennent pas trop ce qui se passe, me répond mon frère. Parlant de ne pas comprendre, j'es-

père que le guide sera facile à suivre...
Plus que mon manuel de maths!

— Camille dit que oui, en tout cas.
En arrivant, on s'enferme pour voir la
marche à suivre afin de procéder à l'inversion des rôles!

— Bonne idée! Au pire, on dit à papa
qu'on veut leur préparer une surprise.
Après le super déjeuner de ce matin, il
ne posera pas de questions.

En arrivant près de chez nous, j'ai le
sentiment que quelque chose cloche. Que
notre plan ne fonctionnera peut-être pas
comme prévu. Mon frère essaie d'ouvrir la
porte, sans succès. Il pousse de toutes ses
forces, mais elle refuse d'ouvrir de plus
que quelques centimètres. Assez pour voir
ce qui bloque son ouverture: la mallette
de travail de mon père, le sac à main de
ma mère et tous nos sacs à dos, bien empilés. Nous réussissons à nous frayer un
chemin dans la minuscule embrasure de
la porte.

— Maman? Papa? Quelqu'un?

Ma petite sœur arrive en courant. Elle
semble terrorisée.

— Médéric, Lauralie! Une chance que
vous êtes revenus. Papa et maman sont
vraiment bizarres...

— Bizarres comment?

— Ben… ils sont bébés. Ils agissent comme nous. Comme s'ils n'étaient pas des parents.

Je regarde Médéric. Je ne comprends rien, à ce moment précis. Lui non plus.

— Et là, ils sont où? demande mon frère.

— Je pense qu'ils jouent dans la salle de jeux, me répond ma petite sœur.

On entend du bruit qui provient du sous-sol. Puis des cris.

— Mais je rêve ou ils se chicanent? ai-je ajouté..

— Oui… je pense. En tout cas, ils font exactement comme nous quand on se dispute!

— DONNE! C'est moi qui l'avais. Aïe… Lâche! Mamannnnnnnnnnnnnn!

Nous nous précipitons en bas. Vision d'horreur. Nos parents se chamaillent pour savoir qui aura la télécommande. Puis mon père donne une pichenotte à ma mère, qui lui répond par une grimace. Elle nous regarde et crie:

— Arghhhh! Il m'a encore regardée!

— Non, c'est toi qui m'as regardé. Je t'ai vue!

Et ça reprend de plus belle. Alors qu'ils décident de se pourchasser dans la maison, nous constatons les dégâts. Le

plancher est jonché de jeux, de livres, de coussins, etc.

— Ahhhhhhh! Méchant! hurle ma mère.

— C'est toi qui as commencé, tsé! réplique mon père.

— Non. Lâche-moiiiiiii! Gros nono!

— Celui qui le dit, c'est celui qui l'est! Nananana!

— Mais… qu'est-ce qui leur prend au juste? demande Médéric.

— Je ne sais pas. Mais on a intérêt à régler ça tout de suite!

Nous remontons à toute vitesse. Les parents nous rejoignent et nous bombardent de questions.

— Qu'est-ce qu'on mange?

— Avez-vous vu mon chandail bleu?

— On peut inviter des amis?

— Je peux manger des bonbons avant le dîner?

— Où est mon cahier vert?

— Mon sac est déchiré, il faudra aller m'en acheter un autre. On y va?

Je me penche vers mon frère et lui chuchote à l'oreille:

— Euh… Il se passe quoi, là?

— C'est bizarre, me répond-il. Ils n'ont rien bu encore…

Voyant qu'on ne répond pas à leur million de questions, mon père nous dit :

— Appelez-nous quand le repas sera prêt. On s'en va jouer.

Médéric reste bouche bée. Nos petits frères et ma sœur s'approchent. Ils viennent sans doute en renfort, constatant que quelque chose ne tourne pas rond. Pauvres petits. Si jeunes pour assister à une telle scène... Je dois me faire rassurante.

— Ne vous en faites pas. Papa et maman sont seulement fatigués. Ils vont aller mieux bientôt. N'est-ce pas, Médéric ?

— Oui. Sûrement. En attendant, nous allons nous occuper de vous. D'accord ?

Les petits nous fixent. C'est ma petite sœur qui prend la parole.

— Appelez-nous quand le repas sera prêt. On s'en va jouer dehors nous aussi !

Chapitre 10

La fin...
à moins que ce ne soit
que le début?

Il y a forcément une raison pour que nos parents agissent comme des enfants.

— On devrait appeler Camille, tu crois?

— Tu parles qu'on va l'appeler! On a mis toutes nos économies sur ce guide! réplique Médéric.

Alors que je m'apprête à prendre le combiné, la sonnerie d'un téléphone retentit. Nous faisons le saut.

— Ça vient d'où?

— On dirait que c'est dans la chambre des parents, suggère mon frère.

Intriguée, je me laisse guider par la sonnerie. Mes parents n'ont plus de cellulaire depuis que mon petit frère a échappé celui de mon père dans le caquelon à fondue et que ma petite sœur a mis celui de ma mère dans le micro-ondes pendant trois minutes. Mon père a juré de ne plus racheter de cellulaire avant que nous ayons tous atteint la majorité. Je localise rapidement l'appareil entre deux manuels pour parents débordés au bord de la crise de nerfs.

— Que font-ils avec ça? Allez, réponds! me lance-t-il. Au pire, change ta voix!

— Euh… Oui, allô? fais-je en essayant d'imiter celle de ma mère.

— Bonjour madame Hardy, c'est Camille.

— Camille! C'est toi?

— Oui, évidemment. Vos enfants ont en main le manuel. Il est temps de mettre votre plan en application avant qu'ils ne vous devancent.

— D'accord. Nous devons faire quoi?

— Je ne peux vous en dire plus. Au revoir. Et bonne chance.

Mais je rêve! Mes parents ont parlé à Camille!

— Alors? me demande mon frère.

— Alors je ne sais pas. Camille est mêlée à tout ça, en tout cas. Il faut agir vite.

— O.K. On va établir un plan de match, propose-t-il.

— Bonne idée! dis-je, pressée de régler la situation.

En replaçant le téléphone, un document attire mon attention.

«Manuel pour parents exténués: tout pour que vos petits amours comprennent enfin que vous êtes au bord de la crise de nerfs s'ils ne vous donnent pas un petit coup de main». Il semblerait que papa et maman ont eu la même idée que nous... et en même temps!

— Tu crois qu'ils ont bu de la tisane volontairement?

— Je ne sais pas.

— Ouvre le guide...

«Vous êtes parents? Vous êtes sûrement désespérés. Ce guide vous conseillera efficacement. Chez 1-800-Parents Contents, il nous fait plaisir de vous aider à atteindre le bonheur tant recherché. Signé, les parents de Camille.»

— Les parents de Camille! J'aurais juré!

— Mais ils donnent quoi comme conseils? me demande mon frère.

— Conseil numéro 1: Partez! Avant toute chose, faites votre possible pour bien faire comprendre à vos enfants comment vous vous sentez. Profitez d'un repas en famille pour en discuter. Si vous ne voyez pas de réaction, passez sans attendre au plan B. Agissez comme vos enfants : Criez, bousculez, renversez, laissez traîner vos affaires, etc. Quand ils seront assez secoués, partez en vacances. Cela vous fera le plus grand bien.

— Nos parents veulent s'en aller... Je pense qu'on est allés trop loin.

— Tu as raison. Il faut les en empêcher !

— Partir où ? fait une voix derrière nous.

— PAPA ! MAMAN ! On est contents de vous retrouver... Restez. On va changer. Promis. On va vous aider. Promis.

Mes parents se regardent, complices.

— Promesse acceptée. Mais nous devons quand même partir.

— Puis, à notre retour, nous allons repartir sur de meilleures bases, d'accord ?

— Fiou... Vous reviendrez ?

— Mais comment ça, « vous reviendrez » ? On vous emmène avec nous. Une semaine de vacances.

— Votre mère et moi, nous nous sommes dit que nous avions vraiment besoin de passer du bon temps avec vous. Que si nous voulons changer les choses,

il faut d'abord prendre une pause. Pour mieux recommencer.

— Et… on va où?

— Une semaine complète à Niagara Falls. Au menu: les splendides chutes, mais aussi et surtout Marineland et Canada's Wonderland, le fameux parc d'attractions où vous nous suppliez d'aller depuis un bon moment déjà… Vous allez adorer! Et nous, nous allons vraiment pouvoir retomber en enfance.

Nous nous regardons, paniqués.

— Façon de parler, bien sûr… précise mon père en nous faisant un clin d'œil.

Dominique de Loppinot

 Mère de cinq merveilleux enfants parfaits (tiens, comme dans le roman!), Dominique vit constamment dans le feu de l'action (c'est le moins qu'on puisse dire…). Cette place «de choix» lui offre une source inépuisable d'idées et de sujets pour ses projets d'écriture. Il n'est donc pas impossible que cette histoire lui ait été inspirée par sa nombreuse progéniture.

Elle s'est mise à l'écrire par un lundi matin ordinaire (dans tous les sens du terme), après avoir fait les lunchs, lavé et plié les vêtements, rangé les jouets, traqué l'origine des odeurs ambiantes dans la chambre de son ado, retrouvé le hamster (dans la gueule du chat, qui lui, était dans celle du chien) et soupiré plusieurs fois. Tout ça en gardant le sourire.

Tout ce que vous lirez dans ce roman est donc tiré de (plusieurs) faits réels (hé oui!). Toute ressemblance avec de vrais enfants en chair et en os n'a (absolument) rien de fortuite. C'est totalement voulu et longuement réfléchi. Dominique précise que l'exercice a même eu des vertus thérapeutiques. Malheureusement, ni la ligne téléphonique 1-800, ni le guide d'inversion des rôles n'existent pour vrai.

L'auteure croit cependant que ses cinq merveilles travaillent actuellement à les concevoir.

GARANT DES FORÊTS
INTACTES

Ce livre a été imprimé sur du papier Enviro
100 % recyclé, traité sans chlore, accrédité Éco-Logo
et fait à partir d'énergie biogaz.

Achevé d'imprimer
à Montmagny (Québec)
sur les presses de Marquis Imprimeur
en juillet 2016

MARQUIS